はなのつくり

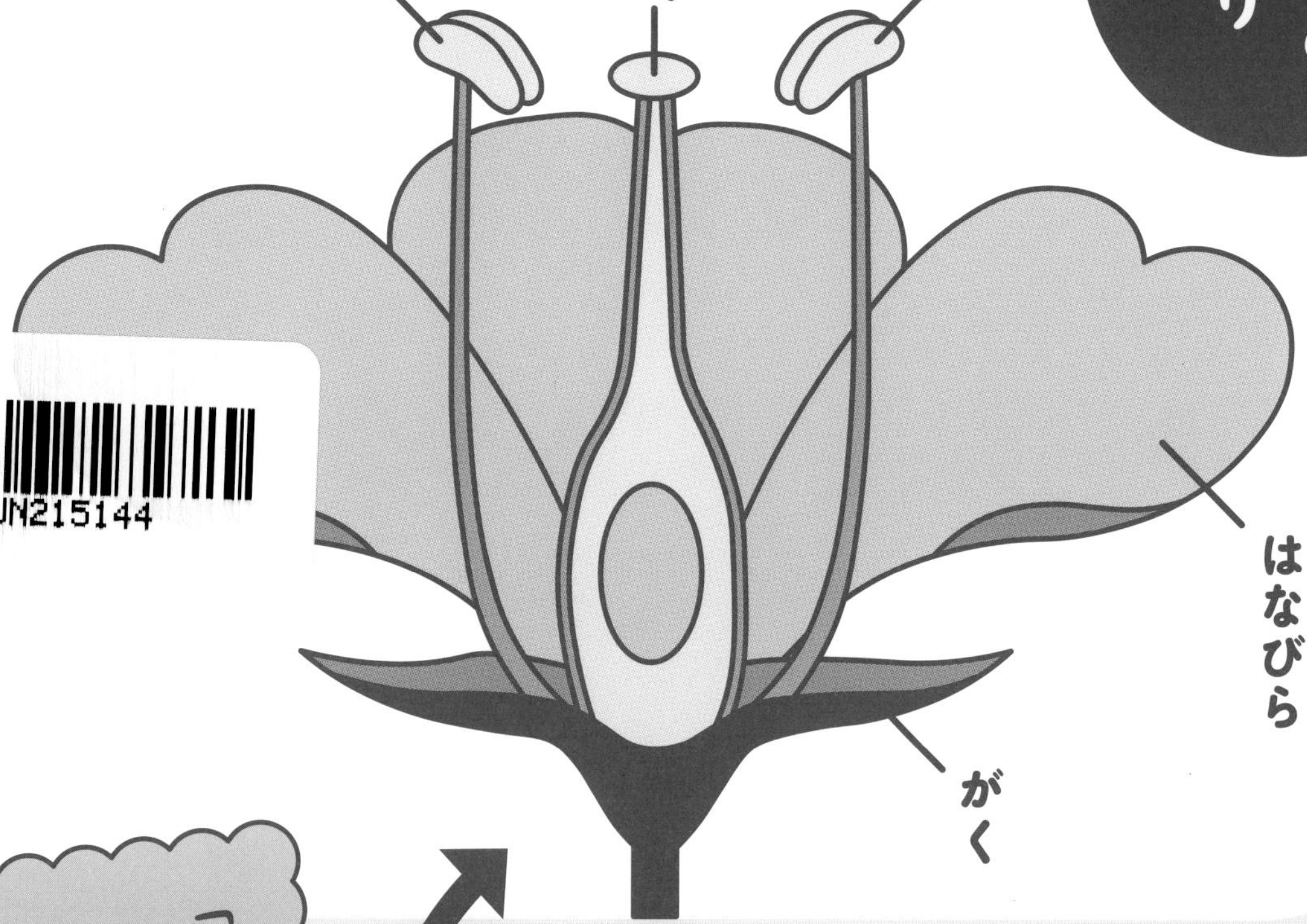

「つぼみ」がひらくと「はな」になる！

つぼみのつくり

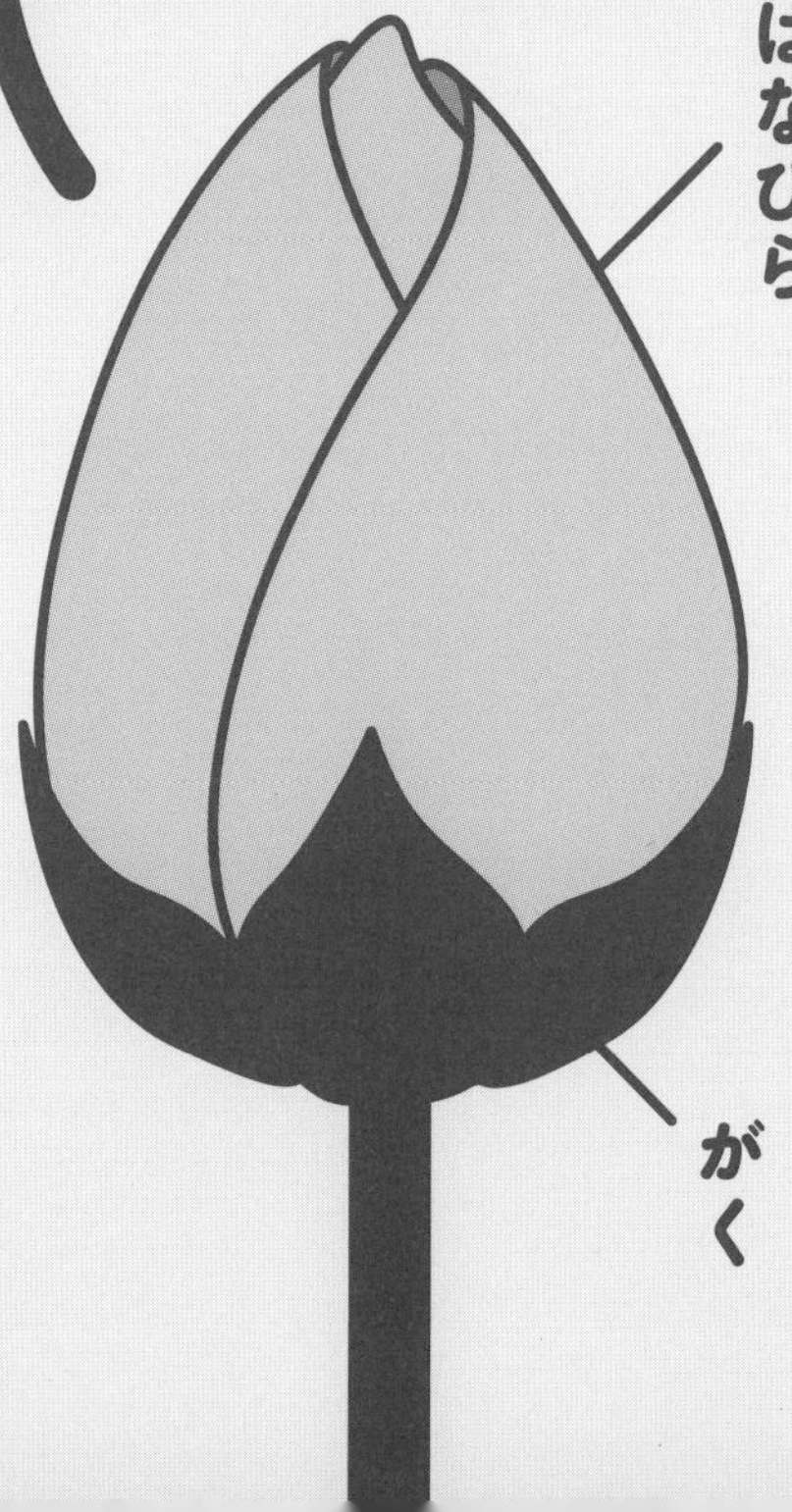

がくは はなびらの そとがわに ある。がくが ない はなも ある。

かさなりあった はなびらの なかに めしべと おしべが はいって いるよ。

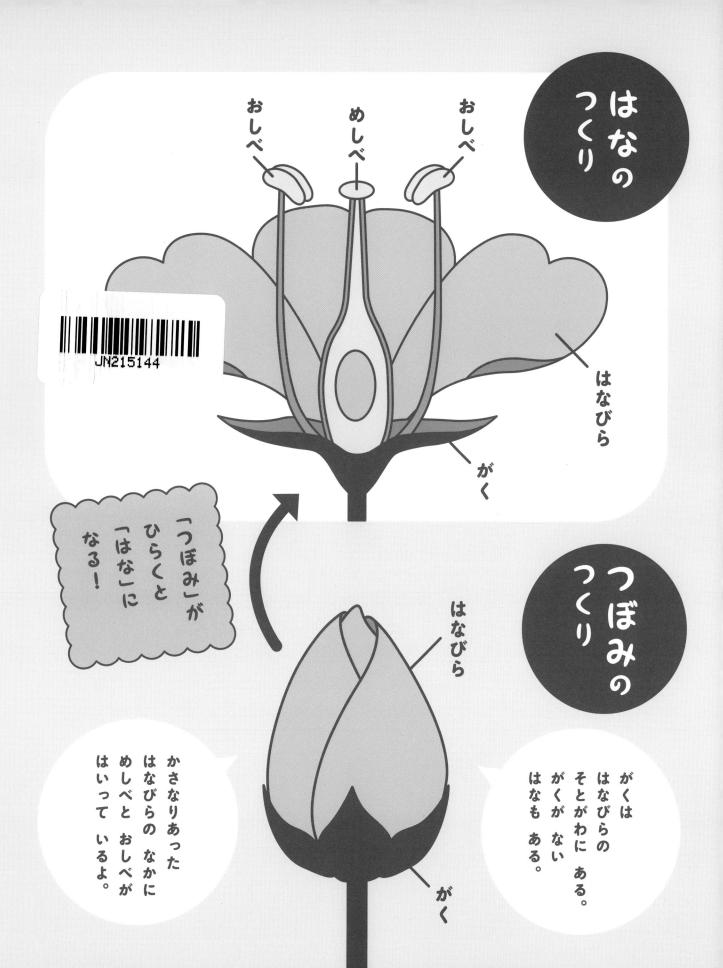

はじめに

きおんが　ひくくて、　ひざしが　すくない　ふゆは、
しょくぶつに　とっては、　きびしい　きせつ。
それでも、　さむさに　たえながら、
はなを　さかせる　くさや　きが　あります。
この　ほんでは、　さむい　ふゆに　みつかる
いろいろな　しょくぶつの、　つぼみを　しょうかいします。
「どんな　はなが　さくのかな?」　と
そうぞうしながら　よんで　みて　くださいね。

なんのつぼみ？

ふゆ

もくじ

なんの つぼみ？ 1

うすい ふくろから
いくつもの
つぼみが
のびて いるよ。

かだんや
にわで
みつかるよ

なんのつぼみかな？
おれまがった
くきの さきに
つぼみが
ある！

ひらく　ところを　みて　みよう

はじめは
ふくろに
はいって
いる。

うすい
ふくろのような
ものに
つつまれて　いる

のびた　つぼみが
だんだん
まがって
きたよ。

つぼみの
ひとつが
ひらいて　きた!

すいせんの
はながさいた！

すいせんを　じっくり　みて　みよう！

はなびら
はなびらが
がったいして
できた　かんむり
まんなかに
おしべと
めしべが　ある

きいろの
ぶぶんは
はなびらが　がったいして
できた　もの。

その　まんなかに
おしべと　めしべが
はいって　いるよ。

そりかえって
いる
かんむり
みたいな
かたち

おなじ むきに さく！

いくつかの はなが
ふさに なって
さく。
うえに ある
つぼみから
ひらいて いくよ。

はっぱは ほそくて
ながい。
やさいの にらに
にて いるけれど
どくが あって
たべられないんだ。

まめちしき

ちがう いろや
ふさに ならない
しゅるいも
ある。

むかしの しゅるいの
すいせん

ながくて
おおきいよ

まんなかが
ラッパ《らっぱ》みたい！

なんの つぼみ？ 2

じめんから
きいろの つぼみが
いくつも
かおを だして いるよ。

なんのつぼみかな？

じめんから
つぼみが
でて いるね

のやまの
あしもとで
みつかるよ

ひらく　ところを　みて　みよう

じめんから
つぼみの
さきが
かおを　だす。

つちから
ちょくせつ
つぼみが
でて　くる。

くきが　のびて
はなが
ひらいて
きた！

あかるい　ひの
ごぜんちゅうに
そらに　むかって
さくよ。

ふくじゅそうの
はながさいた！

ふくじゅそうを じっくり みて みよう！

さむくて
くさが ほとんど
のびて いない ころに、
いちはやく はなを さかせる
ふくじゅそう。

はっぱが しげる まえに
はなが さくから
よく めだつんだ。

はっぱが
たくさん
でて　きた！

つやつやした
かがやくような
はなびら

おわんの　ような
かたちの　はな。
たいように
かおを　むけて　さく。
ひかりが　あつまって
むしも　よって
くるよ。

ふつうは
はっぱが　でてから
はなが　さくけれど、
ふくじゅそうは
はなが　さいてから
くきが　のびて
はっぱが　しげる。

まめちしき

「しあわせ」と
いう　いみの
はなことばを
もつ
はなが　あるよ。

「しあわせを　まねく」

ふくじゅそう

「しあわせ」

たんぽぽ

「とても　しあわせ」

くちなし

なんの　つぼみ？　3

ちいさな
まるい　つぼみが
えだに　いっぱい
ついて　いるよ。

にわや
こうえんで
みつかるよ

なんのつぼみかな？

えだの
みぎと　ひだりに
たくさん
つぼみが　ついて
いる！

ひらく ところを みて みよう

えだに
ちょくせつ
ついて
いるように
みえる
つぼみ。

じくが
ほとんど ない

だんだん
ふくらんで
はなびらが
みえて きた。

たくさん ある
つぼみの
ひとつが
さいた！

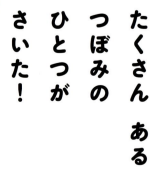

うめの はなが さいた！

うめを じっくり みて みよう！

はなが さいた あとに はっぱが でて くるよ
まるい はなびらが ごまい ある

つぼみは ひとつの ふしに ふたつ つく ことが おおい。

はなが さいた あとに できる みを ほすと 「うめぼし」が できるよ。

きいろの ところに かふんが ある

みきを　さわると
ごつごつして
いる。
えだは　まっすぐ
のびず、
かくかくと　した
すがたを
して　いる。

えだに　びっしり
はなが　さくから
よく　めだって、
むしや　とりが
たくさん
あつまって
くるんだ。

まめちしき

いろは　しろ、
あか、ピンク《ぴんく》。
はなびらが
おおい
やえざきも　ある。

しろ（やえざき）

あか

ピンク《ぴんく》（やえざき）

なんの つぼみ？ 4

したを むいた
ほそながい つぼみ。
すこし
ねじれて いるよ。

なんのつぼみかな？

はちうえで うられて いるよ

ひらく ところを みて みよう

でて きた
ばかりの
つぼみ。
まだ いろが
うすいよ。

つぼみは
まだ ちいさい

だんだん
きれいな
いろに
なってくる。

はなびらが
うえむきに
そりかえって
きた！

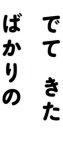

シクラメン《しくらめん》の はなが さいた！

シクラメン《しくらめん》を じっくり みて みよう！

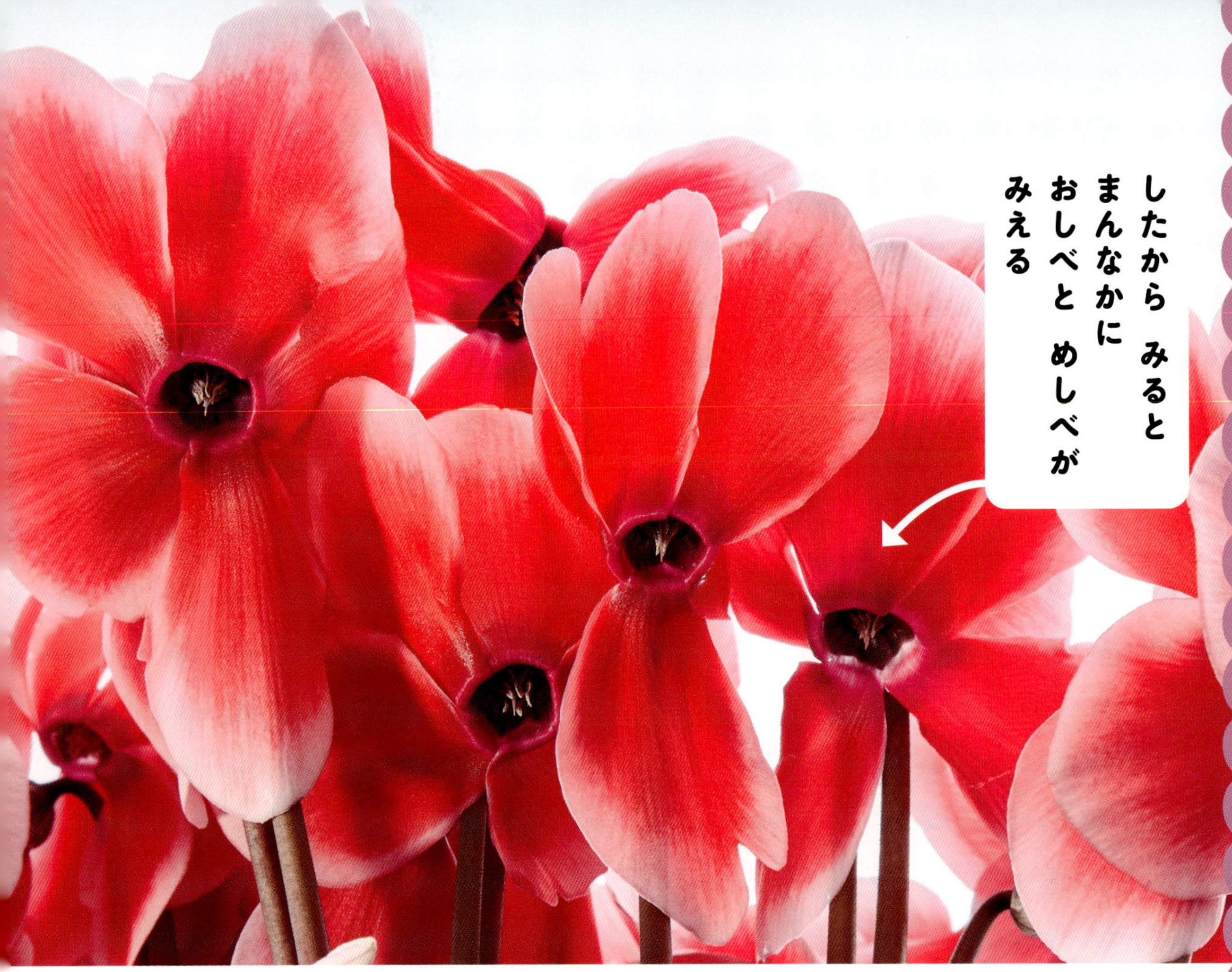
したから みると
まんなかに
おしべと めしべが
みえる

つぼみの ときは
したむきだった はなびら。
ひらく ときに、
うえむきに
そりかえって さく。

あか、しろ、ピンク《ぴんく》など
いろいろな いろが ある。

めしべを
かこむように
おしべが
あつまって
いる
はなびらは
ごまい

シクラメン《しくらめん》の
はっぱの
かたちは
ハート《はあと》に
にて いるよ。
しろっぽい
もようが はいる
ものも ある。

だいたい はっぱと
おなじ かずの
つぼみが でて くる。
あたたかい へやで
そだてると
はるまで はなが
たのしめるんだ。

まめちしき

そりかえるように
さく はなは
ほかにも あるよ。

やまゆり

ひがんばな

ふゆの き の つぼみ

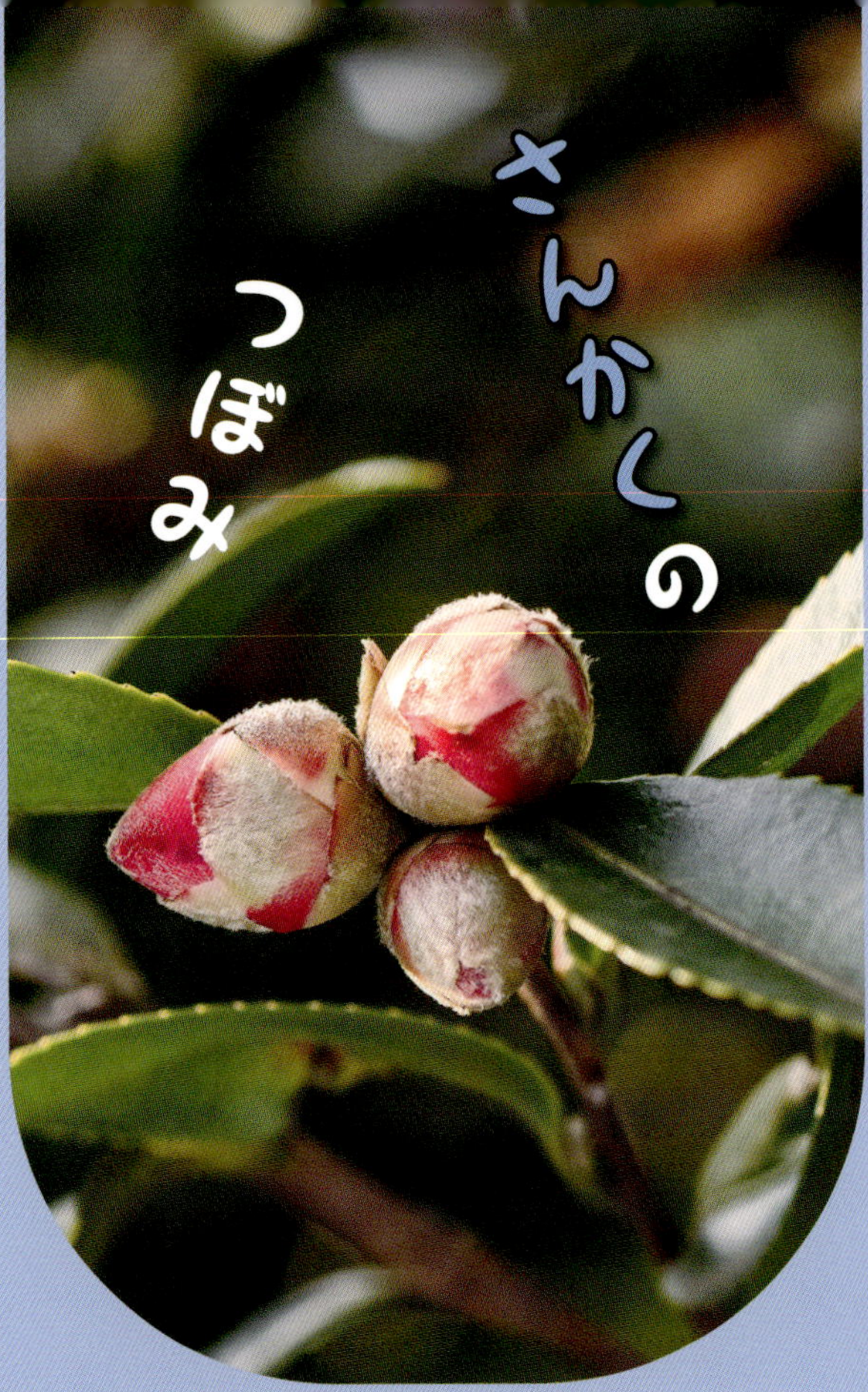
さんかしの
つぼみ

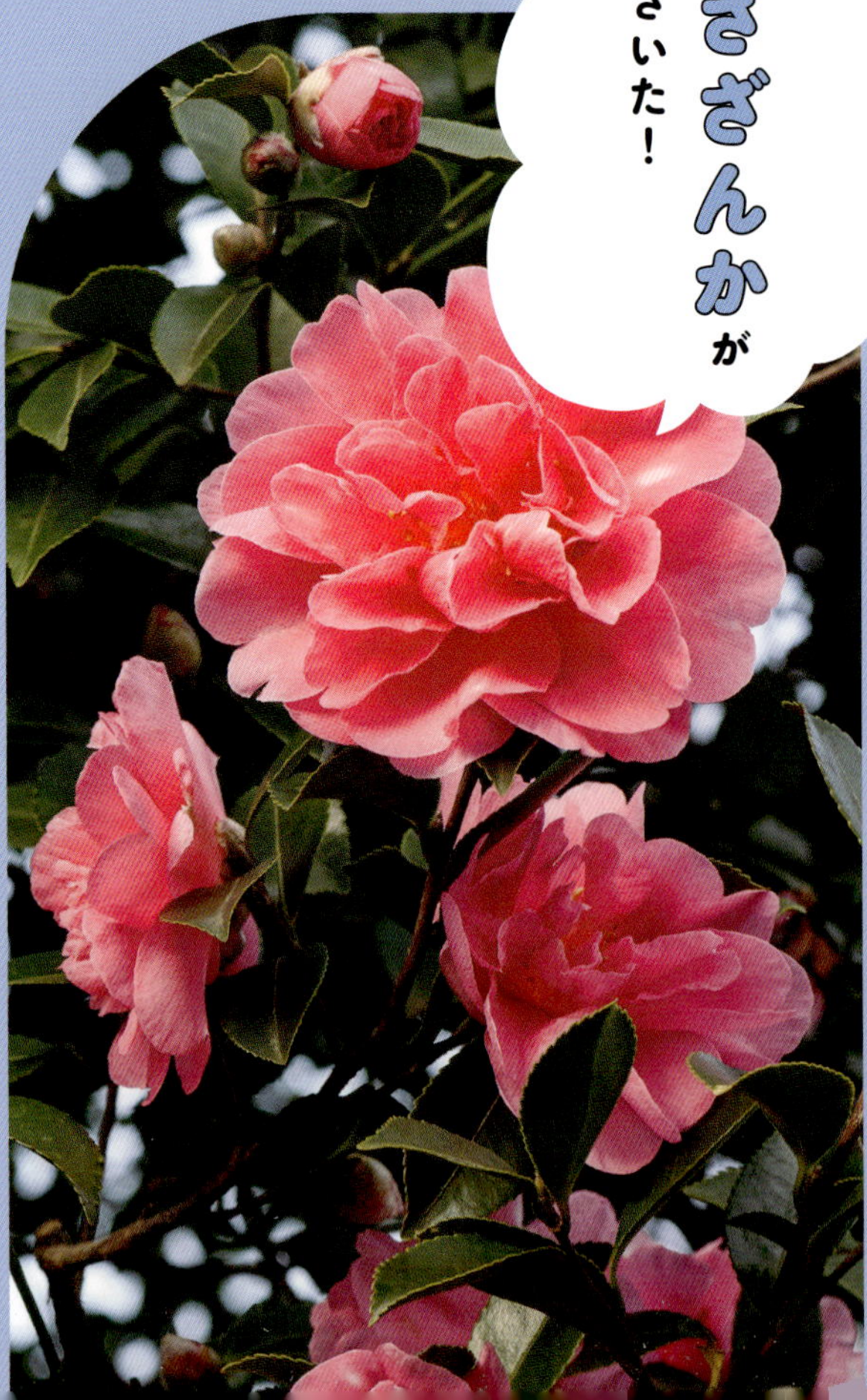
さざんかが
さいた！

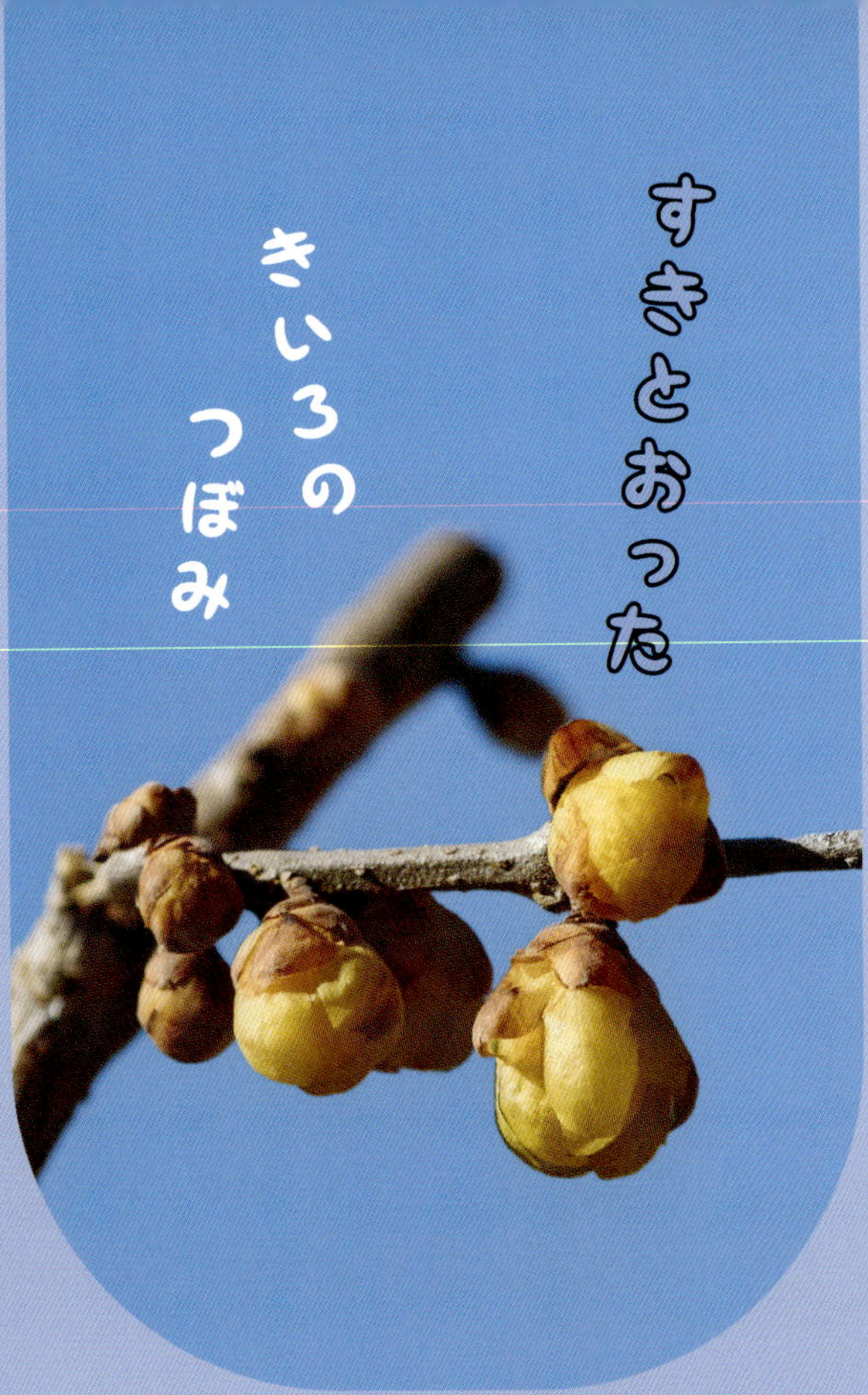
すきとおった
きいろの
つぼみ

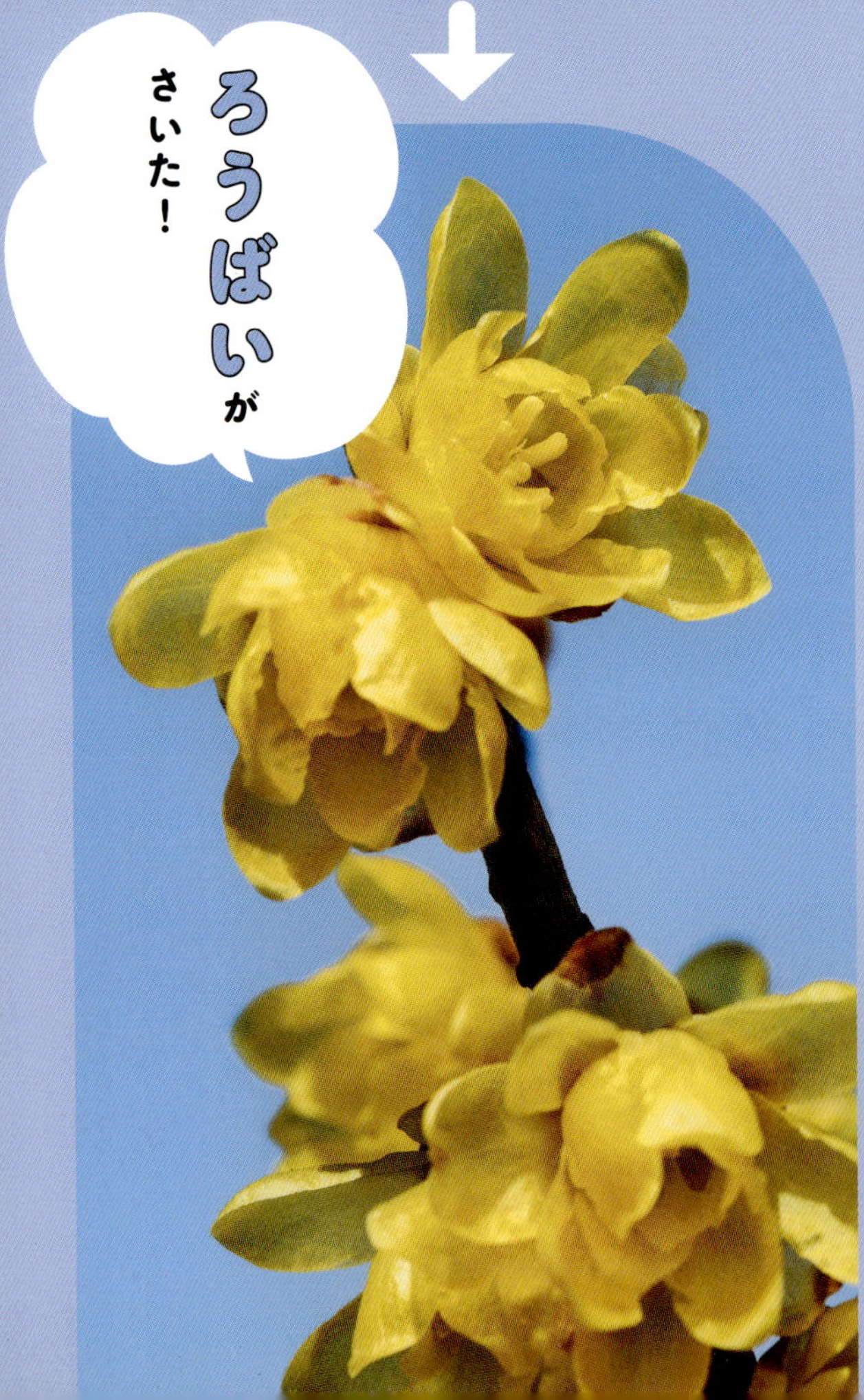
ろうばいが
さいた！

つぼみの
なかに
きいろの
はなが
ぎっしり！

おおきくて
さきが
とがった
つぼみ

さんしゅゆが
さいた！

つばきが
さいた！

ふゆの かだん の つぼみ

したを
むいた
しずく
みたいな
つぼみ

スノー《すのう》ドロップ《どろっぷ》が
さいた！

おおきな
まるい
つぼみ

クリスマス《くりすます》ローズ《ろうず》が
さいた！

ほそながく
ふくらんだ
つぼみ

たくさんの
はっぱに
かこまれて
いるよ

クロッカス《くろっかす》が
さいた！

パンジー《ぱんじい》が
さいた！

ふゆの のやま の つぼみ

すじが
はいった
つぼみ

とても
ちいさな
しろい
つぼみ

つわぶきが
さいた！

せつぶん
そうが
さいた！

ふゆの はちうえ の つぼみ

クリスマス《くりすます》の ころ
よく みる はちうえ

ポイン《ぽいん》
セチア《せちあ》
だよ!

あかい
ところは
ほうと
よばれる
ぶぶん

つぼみは
まんなかに
あつまって
いるよ。

はなが
さいた!

はな

よく にた
きの はなを
みて みよう！

つばきと さざんかを みわけよう

つばき

つばきは
ばらばらに
ならず
そのまま！

さざんか

いちまいずつ
ばらばらに
ちって いたら
さざんか！

つばきと さざんかは
よく にて いるね。
みわける ときは、
じめんに ある
さきおわった はなを
みて みよう。

つばきは そのまま
はなごと おちて、
さざんかは はなびらが
いちまいずつ
ばらばらに ちるんだよ。

✿ 監修　小池 安比古（こいけ・やすひこ）

プロフィール
東京農業大学 農学部 教授。専門は花卉園芸学、人間植物関係学。ＪＦＴＤ学園日本フラワーカレッジ非常勤講師も務める。監修書に『色と形で見わけ 散歩を楽しむ花図鑑』ナツメ社、『かわいい花（学研の図鑑ＬＩＶＥ ｐｅｔｉｔ）』学研プラス、『東京植物図譜の花図鑑１０００ 花の仲卸さんが作った「花図鑑」』日本文芸社、『はじめてのずかん しょくぶつ』高橋書店、『読んで楽しむ 草花の事典』成美堂出版。

✿ 写真　平石 順一（ひらいし・じゅんいち）

プロフィール
東京で生まれ、島根県で育つ。写真スタジオを経て独立。写真歴三十五年。書籍、雑誌、ウェブなどで撮影を行う。日本各地の自然の景観や四季折々の温泉などを多数撮影。植物を撮る時には、花の色彩や質感、肉眼ではわかりにくい形を、写真を通して鮮明に表現できるよう工夫している。この本を通じて、つぼみから花へだんだん形や色を変えていく植物のおもしろさや美しさを感じてもらえたらうれしい。

✿ 参考資料

『色と形で見わけ 散歩を楽しむ花図鑑』ナツメ社
『かわいい花（学研の図鑑ＬＩＶＥ ｐｅｔｉｔ）』学研プラス
『東京植物図譜の花図鑑１０００ 花の仲卸さんが作った「花図鑑」』日本文芸社
『はじめてのずかん しょくぶつ』高橋書店
『読んで楽しむ 草花の事典』成美堂出版
『子どもと一緒に見つける 草花さんぽ図鑑』永岡書店
『見わけがすぐつく花図鑑』成美堂出版
『道草ワンダーランド』ＮＨＫ出版
『タンポポ ハンドブック』文一総合出版
『つぼみたちの生涯 花とキノコの不思議なしくみ』中央公論新社

きせつの つぼみを みつけよう！
なんの　つぼみ？　ふゆ

監修　小池安比古
写真　平石順一
デザイン　パパスファクトリー
校正　宮澤紀子

発行者　鈴木博喜
編　集　大嶋奈穂
発行所　株式会社　理論社
〒101-0062　東京都千代田区神田駿河台 2-5
電話　営業 03-6264-8890　編集 03-6264-8891
URL　https://www.rironsha.com

2025年1月初版発行　2025年1月第1刷発行

印刷　光陽メディア　製本　東京美術紙工
上製加工本

ISBN978-4-652-20667-6　NDC471
A4変型判　27×22cm　32P

つぼみの かんさつ カード《かあど》

なまえ

ひづけ　がつ　にち（　ようび）
じかん　じごろ

みつけたのは　のつぼみ

●つぼみの えを かいて みよう。

●いろ、かたち、おおきさ、におい、
つぼみの かず、どこで みつけたか、
くきに どんなふうに ついているかなど
かんさつして かいて みよう。

※この ページ《ぺえじ》を コピー《こぴい》して つかってね。